Straeon Bywyd
1

Y Freuddwyd

Siân Lewis

Darluniwyd gan James Field

Y Freuddwyd

Ro'n i eisiau bod yn un o filwyr brenin Lloegr y diwrnod hwnnw.

Ro'n i'n ddeg oed ac mewn poen.

Ro'n i wedi brifo fy mraich chwith wrth weithio yn y caeau efo Dad a'm brodyr. Er bod fy chwaer wedi rhoi rhwymyn am fy mraich, roedd hi'n dal yn boenus. Dyna pam o'n i'n esgus 'mod i newydd ymladd brwydr, ac wedi ymladd mor dda nes bod Harri, brenin Lloegr, wedi dod ata i a dweud, 'Syr Rhys, rwyt ti mor ddewr, fe gei di fod yn gwnstabl castell Harlech.'

Roedd Dad wedi rhoi diwrnod o wyliau i fi, felly i ffwrdd â fi i'r mynydd. Yno mi swatiais ar silff fach o graig yng nghysgod llwyn a syllu o 'nghwmpas fel gwyliwr ar y tŵr. Y mynydd oedd fy nghastell a minnau'n ei warchod efo 'nghleddyf pren.

Ymhell islaw roedd fy nhad a'm brodyr yn gweithio'n galed yn y caeau. Pwyntiais flaen y cleddyf tuag atyn nhw a chwyrnu, *'Get back to your hovels, you filthy dogs!'* gan ddynwared llais cwnstabl Harlech.

Dyna'r union eiriau waeddodd y cwnstabl ar Dad a Hywel fy mrawd pan aethon nhw i werthu afalau ac wyau o flaen porth y castell. Er nad oedd Dad a Hywel yn siarad Saesneg, mi ddeallon nhw'r neges yn iawn. Wyddwn i ddim beth oedd union ystyr y geiriau chwaith, nes i Gruffudd Gloff ddweud wrtha i. Roedd Gruffudd Gloff wedi ymladd dros frenin Lloegr ac yn brolio'n ddiddiwedd am y tâl a'r

bwyd da roedd wedi'i gael.

Ro'n i wedi anghofio dod â bwyd efo fi y diwrnod hwnnw. Dyna beth gwirion! Mae'n bwysig cadw stôr o fwyd mewn castell. Erbyn canol dydd ro'n i bron â llwgu. Ro'n i'n mynd i bicio i lawr y mynydd i chwilio am gnau daear, pan welais bedwar milwr yn carlamu o gyfeiriad Harlech. Yn fy lloches cydiais yn nau ben y cleddyf ac esgus 'mod i'n carlamu hefyd. Am hwyl! Ro'n i'n mynd fel y gwynt heb symud cam, pan sylweddolais fod y milwyr yn anelu'n syth amdana i.

'*Stop*! *Stop*!' gwaeddon nhw.

Pam? Beth oedd o'i le, tybed? Oeddwn i wedi torri'r gyfraith? Roedd cymaint o gyfreithiau i'w torri. Doedden ni'r Cymry ddim yn cael mynd i mewn i dref gaerog Harlech heblaw ar ddydd marchnad. Doedd gynnon ni ddim hawl i brynu tir yno. A chaen ni ddim cario arfau chwaith! Ar unwaith gollyngais fy nghleddyf pren a dechrau sleifio allan o 'nghuddfan. Ond cyn gynted ag i fi wthio 'nhrwyn drwy frigau'r llwyn, mi sylweddolais fod rhywun arall ar y mynydd. Yn cerdded ar hyd y llwybr islaw, bron o'r golwg rhwng y creigiau, roedd mynach mewn gwisg lwyd. Gwelais gip ar ei wyneb gwyn. Gwelais hefyd y sach a lithrodd o'i law a diflannu mewn hafn rhwng y creigiau.

Yn ôl â fi o dan y llwyn. Ro'n i'n ddiogel wedi'r cyfan. Gweiddi ar y mynach oedd y milwyr, nid arna i.

'Aros, y ffŵl duwiol!' bloeddion nhw.

Er gwaetha'r sŵn cerddodd y mynach yn ei flaen yn dawel a hamddenol. Hyd yn oed pan ddaeth y milwyr ar ei warthaf ddwedodd o 'run gair. Estynnodd y milwr cyntaf ei

ddwrn ato a'i daro i'r llawr. Neidiodd y lleill o'u cyfrwyau, gweiddi ar y mynach a'i ddyrnu. Yna mi afaelon nhw ynddo, ei daflu ar draws un o'r ceffylau a charlamu'n ôl tuag at Harlech.

Pan oedden nhw'n ddigon pell i ffwrdd, sgrialais i lawr y graig i chwilio am sach y mynach. Fues i ddim chwinc yn dod o hyd iddi. Yn y sach roedd torth o fara a physgod wedi'u halltu. Cariais y sach yn ôl i 'nghuddfan a llowcio'r pysgod nes bod fy mol yn llawn. Wedyn – rhag fy nghywilydd i – yn lle gwarchod fy 'nghastell' mi gysgais yn drwm.

Deffrais i sŵn lleisiau dwfn a chleddyfau a sbardunau'n clecian yn erbyn y graig islaw. Roedd chwech o filwyr eraill wedi disgyn o'u ceffylau ac yn archwilio'r creigiau lle dois i o hyd i'r sach. Mi ges i lond bol o ofn. Roedd fy anadl yn drewi o bysgod. Os mai pysgod brenin Lloegr oedden nhw, mi gawn i andros o gweir. Gwthiais garreg fach i 'ngheg a sugno'n wyllt i geisio cael gwared ar y drewdod.

Distewodd y sŵn. Rhwng brigau'r llwyn gwelwn y milwyr yn cysgodi'u llygaid ac yn syllu ar y creigiau noeth uwchben. Roedden nhw'n chwilio am rywun. Nid fi, gobeithio. Efallai mai chwilio am un o elynion brenin Lloegr roedden nhw.

Wedi ysbaid hir trodd yr arweinydd at y lleill a chodi'i ysgwyddau. Roedd o'n amlwg yn meddwl nad oedd yn bosib i ddyn guddio ar y mynydd.

Ond roedd o'n anghywir. Uwch fy mhen roedd pigyn

o graig a thu ôl i honno roedd silff gul yn arwain at ogof lle roedd Gethin y potsiar yn swatio pan oedd milwyr y castell yn ei erlid.

Ro'n i'n gorwedd ar sach y mynach ac yn teimlo'r dorth yn gwasgu yn fy erbyn. Pam oedd y mynach yn cario sach o fwyd dros y mynydd? I fwydo un o elynion y brenin, mae'n siŵr. Roedd y mynachod yn casáu'r brenin Harri ac yn ei herio bob cyfle. Os oedd y gelyn yn yr ogof, doedd gan y milwyr ddim gobaith dod o hyd iddo heb help. Petawn i'n eu helpu, byddwn i'n siŵr o gael gwobr.

Wrth feddwl am y wobr, anghofiais am y clwyf ar fy mraich a rhoi fy mhwysau arni gan feddwl codi. Ar unwaith saethodd gwayw o boen drwy fy nghorff ac mi syrthiais mewn llewyg. Erbyn i fi ddeffro, roedd y milwyr yn cerdded yn ôl at eu ceffylau.

'Cwyd, Syr Rhys!' dwedais wrtha i fy hun.

Codais orau medrwn i a chamu allan i'r awyr agored. Ond roedd y milwyr yn carlamu i ffwrdd. Ro'n i'n rhy hwyr.

Edrychais i lawr ar fy nhad a'm brodyr yn torri brwyn a'u cefnau'n grwm. Yn y pellter roedden nhw'n edrych fel llygod. Doeddwn i ddim eisiau gorfod crafu a bustachu fel nhw. Ro'n i eisiau gwneud fy ffortiwn. Dyna oedd fy mreuddwyd. Petawn i'n cael gafael ar elyn y brenin ac yn arwain y milwyr ato, gyda lwc mi ddôi'r freuddwyd yn wir.

Codais y sach a'r cleddyf, eu gwthio i 'ngwregys a stryffaglio i fyny'r llethr serth, fel ci ag un goes gloff.

Cyn hir ro'n i'n anadlu fel ci hefyd. Dyna pam na chlywais i'r gelyn.

Wrth i fi gyrraedd y pigyn o graig, neidiodd dyn o'r tu ôl iddi – cawr o ddyn â'i lygaid ar dân. Cydiodd yndda i a gwasgu'i law dros fy ngheg. Cnoais ei law'n galed, nes iddo 'ngollwng i'n rhydd.

'Y cena bach!' gwaeddodd.

'Roeddet ti'n brifo 'mraich i,' dwedais gan ddianc o'i ffordd. 'Ddylet ti ddim ymosod arna i. Dwi wedi dod â bwyd i ti.'

Roedd y gelyn yn hŷn na 'nhad. Er bod ganddo ddillad crand, roedden nhw'n faw i gyd. Gwyliodd y dyn fi'n tynnu'r sach o'm gwregys.

'Daeth mynach â hon i ti,' dwedais.

'Pwy oedd o?'

'Dim syniad. Daliodd y milwyr o a mynd â fo i Harlech.'

'Harlech?'

Edrychodd y dyn mawr dros fy ysgwydd. Trois innau fy mhen. Yn y pellter islaw safai castell Harlech yn urddasol ar ben ei graig. Wrth ei odre llepiai tonnau'r môr.

'Rhyw ddydd bydda i yng nghastell Harlech,' meddai'r dyn.

Ddwedais i 'run gair. Ro'n i wedi dychryn. Oedd o'n gwybod fy mod i am ei fradychu i'r milwyr? Oedd o'n gwybod y câi ei daflu i'r dwnjwn yng nghastell Harlech o'm hachos i? Efallai 'i fod o'n medru darllen meddyliau. Roedd o'n edrych fel bardd neu broffwyd. Mae'n gas gan

frenin Lloegr feirdd a phroffwydi. Mae o'n dweud eu bod yn llenwi'n pennau ni'r Cymry â breuddwydion ffôl.

'Fi fydd yn rheoli castell Harlech,' meddai'r dyn tal.

Doedd o ddim wedi darllen fy meddyliau wedi'r cyfan. Chwarddais. Sut gallai gelyn y brenin reoli castell Harlech?

Roedd tân yn ei lygaid unwaith eto.

'Bydda i'n arwain byddin o Gymry a fydd yn cipio Harlech a phob castell arall,' meddai. 'Byddwn ni'n gyrru'r estron o'n gwlad. Fy mreuddwyd i yw gweld Cymru'n wlad rydd lle medrwn ni reoli ein hunain yn ein hiaith ein hunain. Bydd gynnon ni eglwys Gymreig i'n ffrindiau'r mynachod a choleg i ti gael dysgu i fod yn ddyn doeth. Beth amdani, folgi bach?'

Ddwedais i 'run gair. Roedd golwg lwglyd arno ac roedd o wrthi'n agor y sach. Proffwyd neu beidio, châi o ddim pysgodyn i'w fwyta. Dim ots. Teimlais y ddaear yn crynu o dan fy nhraed. Roedd rhagor o filwyr ar eu ffordd. Petai'r dyn tal yn fy mygwth, mi redwn i i ffwrdd a gweiddi arnyn nhw. Doedd ganddo unlle i fynd. Gallwn i wneud fel y mynnwn i ag o. Fi oedd yn ei reoli.

Ond wnaeth y dyn tal ddim fy mygwth. Cydiodd yn y dorth, sniffian y sach a chwerthin. Torrodd ddarn o'r bara.

'Chei di ddim mynd i ffwrdd â'th fol yn wag,' meddai.

Allwn i mo'i ateb. Roedd o wedi gwthio darn o fara i 'ngheg a gafael yn dynn yn fy mraich iach. Carlamodd y milwyr heibio.

Ar ôl iddyn nhw fynd o'r golwg, gollyngodd y dyn fi'n rhydd.

‘Ffwrdd â ti, filwr bach,’ meddai.

Yn fy mrys gadewais fy nghleddyf ar ôl. Wrth lithro i lawr y llethr, clywais sŵn clecian y tu cefn i mi. Y cleddyf oedd yn gwibio tuag ata i dros y graig. Gwthiais y cleddyf i ’ngwregys a chododd y dyn tal ei law arnaf. Wnes i ddim codi fy llaw arno fo. Trois i ffwrdd.

Yn y pellter roedd mintai arall o filwyr yn gadael castell Harlech. Byddwn i’n eu cyfarfod ar fy ffordd adre.

Wnes i ddim sôn wrth neb am ddigwyddiadau’r diwrnod hwnnw. Feiddiwn i ddim. Byddai fy mrodyr o’u co. Ac mae cywilydd arna i. Pwy ond ffŵl fyddai’n dewis ymladd dros frenin Lloegr? Mae cymaint wedi digwydd ers hynny. Owain Glyndŵr yw fy arwr i rŵan, Owain Glyndŵr, Tywysog Cymru.

Pryd clywais i ei enw gyntaf? Un bore niwlog yn y gwanwyn pan gafodd pawb eu deffro gan sŵn rhyfedd. Roedd y creigiau’n clecian fel petaen nhw ar dân. Rhedon ni allan a gweld milwyr Cymru yn gwersylla wrth borth castell Harlech. Fe roeson nhw lond bol o fraw i’r cwnstabl ac yna diflannu fel y niwl.

Roedd fy nhad mor hapus â’r gog.

‘Mae newid mawr i ddod,’ meddai. ‘Owain Glyndŵr sy’n gyfrifol. Fo sy’n arwain y Cymry. Cofia’i enw fo, Rhys. Dyna i ti enw sy’n dychryn brenin Lloegr.’

‘Pam?’ gofynnais. Fedrwn i ddim dychmygu’r brenin yn dychryn, rhywsut.

‘Mae’r brenin Harri wedi dwyn ein tiroedd ni,’ meddai fy nhad. ‘Yn ôl cyfreithiau Harri rydyn ni’n estroniaid yn

ein gwlad ein hunain. Fedrwn ni ddim gwerthu'n nwyddau yn y dref. Ond bydd Owain Glyndŵr yn ein hachub ni. Gydag Owain yn ein harwain mi fyddwn ni'n bobl rydd mewn gwlad rydd.'

Y noson honno, pan o'n i'n cysgu'n drwm, aeth Hywel, fy mrawd, i ffwrdd. Roedd o wedi mynd i ymuno â byddin Owain Glyndŵr.

Ro'n i o 'ngho.

'Pam na ddwedodd o wrtha i?' dwedais. 'Byddwn i wedi mynd efo fo. Fi ydy'r milwr, nid fo.'

Chwarddodd fy chwaer, Gwenllïan. 'Ti a dy gleddyf pren,' meddai.

Tegan oedd fy nghleddyf pren. Doeddwn i ddim wedi chwarae ag o ers blwyddyn neu fwy. Rŵan roedd gen i fwa hir o gangen ywen, a saethau o frigau oedd yn gwibio drwy'r awyr fel y gomed a wibiodd drwy'r awyr yn y gwanwyn.

'Comed Owain Glyndŵr yw honna,' meddai fy nhad. 'Bydd hi'n dod â lwc, gei di weld.'

Roedd Dad yn iawn. Fisoedd yn ddiweddarach daeth fy mrawd adre. Roedd o'n dipyn o ddyn erbyn hyn ac yn brolio bob cyfle gâi o.

'Fe enillon ni frwydr ym Mryn Glas ar y ffin rhwng Cymru a Lloegr,' meddai. 'Dim ond criw bach oedden ni, ond fe guron ni fyddin brenin Lloegr. Dylet ti fod wedi gweld ein saethau ni'n glawio ar y gelyn.'

'Dwi'n medru saethu'n dda,' dwedais.

Doedd neb yn gwrando arna i. Hywel oedd yn cael y

sylw i gyd.

'Fi oedd eisiau bod yn filwr,' dwedais.

'Mi gei di dy gyfle ryw ddydd,' meddai Mam. 'Aros di.'

'Aros?' cwynais. 'Mae Owain Glyndŵr yn sgubo drwy Gymru o'r gogledd i'r de. Mae o'n goresgyn pob castell. Cyn hir fydd dim angen ymladd. Fydd dim castell ar ôl.'

'Beth am Harlech?' meddai Dad.

Trodd pawb i edrych ar y gaer fawr ar ben y graig. Ar ei thŵr roedd baner brenin Lloegr yn crynu fel deilen.

O'r diwedd, un noson, fe'n deffrwyd gan glecian arfwisgoedd, tincian cleddyfau, snwffian ceffylau a churo pedolau. Chwyddodd y sŵn o'n cwmpas fel môr mawr stormus. Roedd Owain Glyndŵr wedi dod yn ei ôl.

Erbyn y bore roedd castell Harlech o dan warchae. Roedd Owain Glyndŵr a'i ddynion wedi gwersylla o'i flaen. Yn eu plith roedd Hywel. Fe arhoson nhw yno am wythnosau. Châi neb fynd â bwyd i'r castell. O dipyn i beth roedd y cwnstabl a'i ddynion yn llwgu. Cofiais am y cwnstabl yn gweiddi ar Dad a Hywel. Byddai'n ddigon balch o gael prynu afalau ac wyau ganddyn nhw erbyn hyn.

Un noson braf, ro'n i ar fy ffordd adre i'r tŷ o'r caeau pan welais i Gethin y potsiar yn mynd heibio efo sach ar ei gefn.

'Hei, Rhys,' galwodd. 'Tyrd i fyny i'r mynydd.'

'Pam?' gofynnais. 'Does dim rhaid i ti fynd i guddio yn dy ogof. Fedr cwnstabl Harlech mo dy ddal di.'

'Na.' Chwarddodd Rhys. 'Fo'i hun sy'n cuddio rŵan. Ella caiff o 'i yrru o'i dwll heno.'

Es i efo Gethin i'r mynydd. Eisteddon ni ar y llethr yn ymyl yr ogof lle bu'r dyn tal yn cuddio. Roedd yr haul yn belen fflamgoch uwchben y môr. Dawnsiai'r pelydrau dros furiau castell Harlech.

Drwy'r cochni fe welson ni olygfa hapus a rhyfeddol iawn. Gwelson ni borth mawr y castell yn agor. Gwelson ni'r bont yn disgyn, a throsti rhuthrodd tyrfa lon nad oedd wedi cael cyfle i fentro drosti erioed o'r blaen. Fe redon nhw ar hyd y waliau a'u lleisiau balch yn atsain o fryn i fryn.

Yna dyma Gethin y potsiar yn neidio ar ei draed ac yn rhuo mewn gorfoledd. Taflodd ei freichiau amdana i. Dawnsiodd o gwmpas a'i lygaid ar dân.

'Rydyn ni wedi cipio castell Harlech!' gwaeddodd gan roi pwniad i fi. 'Ni ydy arglwyddi Harlech rŵan. Wyt ti'n deall?'

'Ydw.'

'Wel gwena, ddyn! Be sy'n bod arnat ti? Hei, rwyt ti'n pwdu am na chest ti fynd i ymladd efo Owain Glyndŵr fel dy frawd, yn dwyt?'

Gwenais er mwyn Gethin. Fedrwn i ddim cyfaddef 'mod i wedi cyfarfod â dyn arall â llygaid tanllyd ar y mynydd. Dim ond deg oed oeddwn i bryd hynny, hogyn bach efo cleddyf pren. Fedrwn i ddim dweud wrtho am y dewis wnes i'r diwrnod hwnnw, achos fyddai Gethin ddim yn deall pam oedd raid i fi wneud dewis o gwbl.

Aeth Hywel fy mrawd i weithio yn stablau Owain Glyndŵr

yng nghastell Harlech. Fo oedd yr unig un oedd wedi cyfarfod y tywysog ac roedd o'n brolio o fore tan nos. Byddai'n pwyntio at y castell ac yn dweud, 'Dyna'r tŵr lle mae Owain a'i wraig Marged yn byw. Yn y neuadd mae gorsedd fawr. Fan'na mae'r tywysog yn eistedd pan mae pobl bwysig yn dod i'w weld, o Iwerddon, Ffrainc a'r Alban ac o bob cwr o Gymru. Cyn hir bydd senedd Cymru yn cwrdd yno.'

Ro'n i wedi cael digon ar frolio a phlagio Hywel.

'Mae'r tywysog yn mynd i gynnal twrnamaint,' meddai Hywel un diwrnod, gan daflu'i fraich dros fy ysgwydd. 'Mi fyddi di wrth dy fodd, Rhys, ond nid brwydr go iawn fydd hi, cofia.'

Snwffiais yn gas.

Roedd Hywel yn cymryd arno ei fod wedi gyrru'r Saeson o Harlech ar ei ben ei hun. Codais fy nhrwyn ac wfftio'i hen dwrnamaint, er 'mod i mor gyffrous â phawb arall. Roedd Harlech yn ferw gwyllt. Ar y cae mawr safai rhesi o bebyll lliwgar ac roedd y dref yn llawn o farchogion yn eu dillad crand. Ar eu helmedau chwifiai plu disglair. Ar eu tariannau stelciai llewod bygythiol, ond doedd gan neb gymaint o lewod ag Owain Glyndŵr.

'Mae gan Owain Glyndŵr bedwar llew ar ei darian,' meddai Hywel.

Ro'n i'n gwybod hynny. Roedd Gethin wedi dweud wrtha i. Pedwar llew ffyrnig oedden nhw, yn codi ar un droed a chrafangu'r awyr.

Ar ddiwrnod y twrnamaint brysiais i'r cae ac edrych

am Owain Glyndŵr. Dangosodd Dad ble oedd Marged, Tywysoges Cymru, yn eistedd yn y babell frenhinol. Yn ei hymyl roedd gorsedd wag. Roedd fy mhen yn troi i bob cyfeiriad, pan glywais floedd fawr. Roedd marchog mewn arfwisg ddu wedi cyrraedd y cylch cystadlu ar gefn ei geffyl a phwy oedd yno'n disgwyl amdano ond marchog tal mewn arfwisg aur. Am ei ben, yn cuddio'i wyneb, roedd helmed ac arni ddraig aur. Am ei fraich disgleiriai tarian efo pedwar llew mawreddog.

'Owain Glyndŵr,' sibrydodd y dorf. 'Mae'r tywysog ei hun yn cymryd rhan yn y twrnamaint!'

Ar ganiad yr utgyrn trodd y ddau farchog i wynebu'i gilydd.

'Owain! Owain! Owain!' gwaeddodd pawb nes i garlamu chwyrn y ceffylau a thrwst yr arfau foddi'n lleisiau. Daliodd pawb eu hanadl ac yna gweiddi ac ochneidio wrth i'r picellau dorri'n ddarnau. Taflwyd y ddau farchog i'r llawr, ond fe dynnon nhw'u cleddyfau ac ymlid ei gilydd. Ciliais i a Dad yn ôl pan ddaeth y ddau tuag aton ni a'r gwreichion yn tasgu o'u cwmpas.

Yna wrth ein traed, gydag un floedd fawr, fe ddisgynnodd y Marchog Du. Safodd Owain uwch ei ben â blaen ei gleddyf yn gwasgu ar wddw'i elyn.

Distewodd y dorf. Ro'n innau'n ceisio cael fy ngwynt ataf, pan glywais lais.

'Wel, y bolgi bach,' meddai. 'Sut wyt ti ers tro?'

Codais fy mhen mewn braw.

Roedd Owain Glyndŵr wedi tynnu'i helmed ac yno'n syllu arna i roedd wyneb llym y dyn tal o'r mynydd.

'Rŵan,' meddai. 'Beth wna i â'r marchog ar y llawr? Ei roi yn nwylo'r gelyn neu ei ollwng yn rhydd?'

Ddwedais i 'run gair. Roedd fy ngheg yn sych.

'Tyrd 'mlaen,' meddai Owain. 'Ti sydd i ddewis.'

'Ei ollwng yn rhydd, felly,' dwedais.

Dyna oedd fy newis y diwrnod hwnnw. Dyna hefyd oedd fy newis flynyddoedd ynghynt. Wnes i erioed fradychu'r dyn tal. Ar fy ffordd adre o'r mynydd mi gerddais heibio i filwyr y brenin heb ddweud gair. Pam? Am 'mod i wedi sylweddoli, er mai deg oed o'n i, fod ei freuddwyd o gymaint yn fwy gwerthfawr a godidog na 'mreuddwyd i.

Gwenodd Owain, arwr Cymru gyfan, arna i.

'Da iawn ti,' meddai, a chyffwrdd â'm hysgwydd â llafn ei gledd.